Hom[illegible] de
l'auteur
L. C.

PAYS INCONNU

PAESE SCONOSCIUTO

Lisa Carducci

Les Éditions David remercient le Conseil des Arts du Canada, le ministère du Patrimoine canadien, par l'entremise du Partenariat interministériel avec les communautés de langue officielle (PICLO), le Secteur franco-ontarien du Conseil des arts de l'Ontario et la Ville d'Ottawa.

Les Éditions David remercient également Coughlin & Associés Ltée, le Cabinet juridique Emond Harnden, la Firme comptable Vaillancourt ♦ Lavigne ♦ Ashman.

Données de catalogage avant publication (Canada)

Carducci, Lisa

[Pays inconnu. Italien & français.]

Pays inconnu

Poèmes

Texte en français et en italien.

ISBN 2-922109-66-6

I. Titre. II. Titre : Pays inconnu. Italien et français.

PS8555.A727P4516 2002 C841'.41 C2002-900388-1

PQ3919.2.C37P4516 2002

Couverture : Niji Fuyuno, dessinatrice et poète de Tokyo

Infographie : Pierre Bertrand

Les Éditions David
1678, rue Sansonnet
Ottawa, Ontario
K1C 5Y7

Tél. : (613) 830-3336
Télécopieur : (613) 830-2819
Courriel :
ed.david@sympatico.ca

Dépôt légal (Québec et Ottawa), 1er trimestre 2002.

PAYS INCONNU

PAESE SCONOSCIUTO

Lisa Carducci

Et vous avez si peu de temps
pour naître à cet instant!

(Saint-John Perse, *Vents*)

E avete così poco tempo
per nascere a quell'istante!
(Saint-John Perse, Venti*)*

« PAYS INCONNU »
de Lisa Carducci

Ce nouveau recueil de poésie de Lisa Carducci a la confession ouverte d'une longue histoire d'amour ininterrompue. Mais c'est une poésie trompeusement intimiste : à travers les émotions (joies et souffrances), qui jaillissent du rapport amoureux, l'auteur poursuit la connaissance — ou mieux, « sa » connaissance — de lieux étonnants, de situations inattendues et diverses.

Que l'amant appartienne à « un autre monde », sûrement à un autre pays, on s'en doute. Déjà le titre

«Pays inconnu», captivant et original en soi, jette une lumière nette et sans équivoque sur le contenu de l'œuvre.

Il s'agit d'une poésie charnelle, où cependant la sincère et totale matérialité des sens est poétiquement transfigurée, élevant les règles plates et crues typiques de toute passion, ou jeu d'amour, au niveau sublime, créateur et en même temps magique où l'homme se sent partie unique et indivisible de cette *terra mater* dont nous sommes tous les fils, de cette nature dans laquelle «rien ne se perd, rien ne se crée».

Nous relevons une longue série de signaux emblématiques qui nous indiquent justement cette subtile métaphore, qui n'est rien d'autre que l'anxiété de vivre, l'urgence de s'identifier totalement aux habitudes les plus enracinées de la personne aimée, de les partager concrètement, enfin, comme sa façon de penser et d'être.

Lisa Carducci s'adresse constamment à l'amant en utilisant des expressions qui rappellent cette idée de la terre et l'union indissoluble entre les lieux où se déroulent la scène et l'aspect physique du rapport. Nous lisons: le cocon de tes bras; sur le socle de ton corps; au pays de ton corps; l'écorce de ton sexe. En outre, en ce sens, les fréquentes références à l'activité artistique (la sculpture) sont significatives: «mes mains exercent / un métier d'argile / à même ta chair nue // de mon extase / naît un homme».

Entre abandons et attentes, réflexions et craintes, espoirs et certitudes, la relation poursuit son développement particulier que nous pourrions définir de type dialectique: l'amour, justement parce que passionné, n'exclut pas de la part de l'auteur le désir instinctif de ne pas se lier complètement. Furtivement, la volonté demeure — et peut-être l'exigence — de ne pas céder à la passion de manière absolue, car cela pourrait comporter aussi (non seulement, mais aussi), un «égarement» de la personnalité, de sa propre «identité culturelle». Avec une intuition et une hésitation proprement féminines, Lisa Carducci craint une «sujétion» aux raisons de l'autre. Du reste, «la mémoire sera un album / vierge»: trop différents semblent les mondes d'origine des deux amantsprotagonistes, difformes leurs expériences, éloignées leurs cultures.

Il en est ainsi (qui sait?!), et ne pourrait en être autrement. Et pourtant, l'amour, «ce» singulier et fascinant amour — reconstitué d'un style sec, limpide et immédiat — et «radiographié» pour nous avec une sincérité désarmante sous toutes ses variantes et facettes — réussit malgré tout à survivre, une fois l'étincelle allumée: le «délit de mémoire» sera vaincu «sans équivoque / au pays inconnu».

La magie de la poésie consiste aussi en ceci: parfois, connaître un homme peut suffire à comprendre un pays, et comprendre une nation signifie «entrer» dans le cœur d'un homme.

Parce que l'amour, qu'on le veuille charnel, rationnel et/ou spirituel, reste encore le principal instrument de compréhension, d'intégration et de cohésion entre des êtres et des cultures si lointaines en apparence.

Francesco De Napoli
Cassino, janvier 2002

«PAESE SCONOSCIUTO»

di Lisa Carducci

Questa nuova raccolta poetica — quasi un poemetto — di Lisa Carducci racconta una lunga, ininterrotta storia d'amore. Ma è una poesia falsamente intimistica: attraverso le emozioni, ed anche le sofferenze, che scaturiscono dal rapporto amoroso la poetessa insegue la conoscenza — meglio, una «sua» conoscenza — di luoghi, realtà e tradizioni nuove e diverse.

Che l'amante appartenga ad un «altro mondo», probabilmente ad un'altra nazione, lo si intuisce non solo conoscendo le recenti vicende biografiche dell'autrice. Già il titolo della raccolta, «Paese sconosciuto», di per sé accattivante e originale, getta una luce netta e inequivocabile sui contenuti dell'opera.

E' una poesia carnale, ove però la sincera e totale materialità dei sensi viene trasfigurata poeticamente, elevando le crude e piatte regole tipiche di ogni passione, o gioco d'amore, al livello sublime, creaturale e nello stesso tempo magico, in cui l'uomo sente se stesso parte unica e indivisibile di quella terra mater di cui tutti siamo figli, di quella natura in cui «niente si perde niente si crea».

Riscontriamo una lunga serie di segni o segnali che stanno ad indicare proprio questa sottile metafora, che poi altro non è che l'ansia di vivere, di identificarsi totalmente con le abitudini più radicate e, in definitiva, con lo stesso modo di pensare e di essere della persona amata. Lisa Carducci si rivolge costantemente al suo uomo usando espressioni che richiamano questa idea della terra ed il connubio indissolubile esistente fra i luoghi ove la vicenda si svolge e la fisicità del rapporto. Leggiamo: il bozzolo delle tue braccia; sullo zoccolo del tuo corpo; al paese del tuo corpo; la corteccia del tuo sesso. Significativi in tal senso, inoltre, sono i frequenti riferimenti all'attività artistica (la scultura) svolta: «le mic mani esercitano / un mestiere d'argilla / sulla tua carne nuda // dalla mia estasi / nasce un uomo».

Fra abbandoni e attese, riflessioni e paure, speranze e certezze la relazione ha un suo particolare sviluppo che potremmo definire di tipo dialettico: l'amore, per quanto appassionato, non esclude da parte dell'autrice l'istintivo desiderio di non legarsi completamente. Furtivamente, permane la volontà — e forse l'esigenza — di non cedere alla passione in maniera assoluta. Ciò perché «la memoria sarà un albo / vergine»: troppo diversi sono i mondi da cui provengono i due amanti-protagonisti, difformi le loro esperienze, lontane le loro culture.

E' così (forse), e non potrebbe essere diversamente. Eppure l'amore, «questo» singolare e affascinante amore — inteso in tutte le sue possibili varianti e sfaccettature — nonostante tutto riesce a sopravvivere, giacché la scintilla ormai è accesa: il «delitto di memoria» sarà superato «senza equivoco / nel paese sconosciuto».

Perché l'amore, carnale e razionale insieme, resta pur sempre il principale strumento di comprensione e di fratellanza fra creature e culture in apparenza lontanissime.

Francesco De Napoli
Cassino, gennaio 2002

d'abord
un sourire entendu
puis
ton visage étoilé

derrière la porte refermée
le cocon de tes bras
où j'existe enfin

viens   je ferai de toi
un amant parfait

prima
un sorriso d'intesa
poi
il tuo viso stellato

dietro la porta richiusa
il bozzolo delle tue braccia
dove esisto finalmente

vieni   farò di te
un amante perfetto

dans tes bras tentacules
la passion délire
habituer nos chairs miroirs
        obstination
quelle insatiabilité vaincra
l'autre

la langue diurne
vouvoie le jour
l'intime tutoie le silence
et trace des cercles
à l'encre de tendresse
les mots parfois protègent
de l'hallucination

fra le tue braccia tentacoli
la passione delira
abituare le nostre carni specchi
        ostinazione
quale insaziabilità vincerà
l'altra

la lingua diurna
dà del voi al giorno
l'intima   del tu al silenzio
e traccia cerchi
con inchiostro di tenerezza
le parole a volte proteggono
dall'allucinazione

sieste tempérée
ponctuée de bifurcations du désir
l'été sous les draps
tes gestes et mes images
s'épousent
pourquoi nos squelettes
ne s'habilleraient-ils pas
de la chair d'autrui

montage en trois dimensions
surimpression en palimpseste
plagiat au carbone 14

siesta temperata
punteggiata di biforcazioni del desiderio
l'estate sotto le lenzuola
i tuoi gesti e le mie immagini
si sposano
perché i nostri scheletri
non si vestirebbero
della carne altrui

montaggio in tre dimensioni
sovrimpressione in palinsesto
plagio al carbone 14

forcer la vérité à s'expliquer
ne plus errer à tout prix
en contre-plongée
en noir et blanc
inviter le vertige à basculer
au panorama du siècle déguisé
tout le reste est superflu

tuer l'amour dans l'œuf
il vieillirait mal

forzare la verità a spiegarsi
non errar più a qualunque costo
in ripresa dal basso
in bianco e nero
invitare la vertigine a ribaltare
al panorama del secolo mascherato
tutto il resto è superfluo

uccidere l'amore nell'uovo
invecchierebbe male

mains sans visages et visages sans noms
pourtant
    vie inégale
le ciel se déploie en lumière
s'offre au séral baiser

dernière arabesque d'ailes
des nuages poussent
rêves en attente de nuit

mani senza visi e visi senza mani
eppure
    vita ineguale
il cielo si spiega in luce
s'offre al bacio serale

ultimo arabesco d'ali
delle nuvole crescono
sogni in attesa di notte

parfait voleur
tu t'enfuis avec le jour
emportant sous le bras
l'instant dernier
de mes paupières closes

sur le socle de ton corps
je pose
    nue

contact de nos sexes
je m'accorde à tes vibrations

perfetto ladro
fuggi col giorno
portandoti sotto braccio
l'istante ultimo
delle mie palpebre chiuse

sullo zoccolo del tuo corpo
poso
        nuda

contatto dei nostri sessi
m'accordo alle tue vibrazioni

faire l'amour
vide
le cœur plat
pantins sinistres
que la mort interpelle

la mémoire sera un album
vierge

au pays de ton corps
les étoiles poussent aux branches
la nuit qui pleut
répand un parfum de pleine lune
au bord du ciel — préjugé ou présage
des perles cendrées et des diamants sereins

far l'amore
vuoto
il cuore piatto
marionette sinistre
che la morte interpella

la memoria sarà un albo
vergine

al paese del tuo corpo
le stelle spuntano sui rami
la notte che piove
spande un profumo di luna piena
al limite del cielo — pregiudizio o presagio
delle perle cineree e dei diamanti sereni

tu voulais écrire au front de mes rêves
chasser mes fantasmes pour y loger les tiens
de la face interne de mes songes
    déraciner mes images
je t'ai surpris plume à la main

quand la vie s'emmêle
la mort s'en mêle

volevi scrivere sulla fronte dei miei pensieri
cacciare i miei fantasmi per alloggiarvi i tuoi
dalla faccia interna dei miei sogni
*   sradicare le mie immagini*
ti ho sorpreso penna in mano

quando la vita si mischia
la morte s'immischia

d'un coup d'aile l'oiseau obscurcit le jour
la terre éjacule ses enfants

la semence féconde germe la mort
comme une âme furtive
le silence glisse sur les pierres

nu dans ma mémoire antique
l'espoir
dans un monde horriblement noirci
avec des poèmes comme bouches d'aération

con un colpo d'ala l'uccello oscura il giorno
la terra eiacula i suoi figli

la semente feconda germina la morte
come un'anima furtiva
il silenzio scivola sulle pietre

nuda nella mia memoria antica
la speranza
in un mondo orribilmente annerito
con delle poesie per bocche di aerazione

tu es mon cœur   dis-tu
je suis ton vêtement
si je t'extirpe je meurs
tu me changes comme tu veux

le jour danse encore
effronté
sur tes paupières indécentes

à l'aube prude et prudente
confierons nos secrets

parmi les cailloux
naîtront des coquelicots

sei il mio cuore   dici
sono il tuo vestito
se ti estirpo muoio
mi cambi come vuoi

il giorno balla ancora
sfacciato
sulle tue palpebre indecenti

all'alba vereconda e prudente
affideremo i nostri segreti

tra sassolini
nasceranno papaveri

au café de la volupté
deux cœurs bistre
s'épient

monstre multiforme
qui craches des lambeaux de ciel
décroches en riant
les astres
qu'as-tu besoin de moi
à toi seul
yin et yang

nel caffè della voluttà
due cuori bistro
si spiano

mostro multiforme
che sputi brandelli di cielo
stacchi ridendo
gli astri
in che hai bisogno di me
tu da solo
yin e yang

les nuages s'effilochent
sur nos têtes
nos pas accumulés
tassent la poussière des jours

l'enfance frappe à la vitre
que veut-elle

la maintenante vie
est bien plus belle

le nuvole sfilacciano
sulle nostre teste
i nostri passi accumulati
pigiano la polvere dei giorni

l'infanzia bussa al vetro
cosa vuole

l'odierna vita
è tanto più bella

veines et capillaires
sous ta peau fine

réseau
transocéanique

mes mains exercent
un métier d'argile
à même ta chair nue

de mon extase
naît un homme

vene e capillari
sotto la tua pelle sottile

rete
transoceanica

le mie mani esercitano
un mestiere d'argilla
sulla tua carne nuda

dalla mia estasi
nasce un uomo

tes pensées
derrière les fenêtres de ton front
ridées

un cheval de lumière
passe au galop
l'amour à sa crinière
dit voilà
il reste la poussière

i tuoi pensieri
dietro le finestre della tua fronte
rugosi

un cavallo di luce
passa al galoppo
l'amore alla sua criniera
dice ecco
resta la polvere

coiffer mes cheveux
en paratonnerre

te fuir

le vent a oiseaux pour voyager
feuilles pour danser
le sourire a neige pour apaiser
enfant pour s'épanouir
et la rose
épines pour pleurer

acconciare i miei capelli
in parafulmine

fuggirti

il vento ha uccelli per viaggiare
foglie per ballare
il sorriso ha neve per placare
bambino per sbocciare
e la rosa
spine per piangere

la lune dans ta chambre
entre tes paupières faufilée
ravit le sommeil de tes yeux

tes pas au crépuscule
baisent la terre muette

de toi ou de l'aurore
qui sourit le premier

la luna nella camera
tra le tue palpebre intrufolata
ruba il sonno dai tuoi occhi

i tuoi passi al crepuscolo
baciano la terra muta

di te o dell'aurora
chi sorride per primo

tout homme que tu sois
tu ondoies roseau
sous l'haleine saline
coquillage écho
de solitude

tu formes mes mots
en caressant l'argile
et je favelle
la glaise
avec l'âme des saisons
d'amour

uomo che tu sia
ondeggi giunco
sotto l'alito salino
conchiglia eco
di solitudine

formi le mie parole
accarezzando l'argilla
ed io favello
la creta
con l'anima delle stagioni
d'amore

m'émeut ton pas qui
approche
et le silence de novembre
loin des fleurs d'avril
joue de ma harpe
qui vibre encore

un dieu las s'assoupit
pour rêver
et nous fûmes

mi commuove il tuo passo che
s'avvicina
e il silenzio di novembre
lontano dai fiori d'aprile
suona la mia arpa
che vibra ancora

un dio lasso s'assopì
per sognare
e fummo

aurore sans voile
je parus
océan glouton
tu m'as enrobée d'écume

dormons
parmi les coquillages de coton

jouir des grâces du jour
comme lotus
sur les fonds boueux où il surnage

aurora senza velo
io parvi
oceano ingordo
mi hai ricoperta di schiuma

dormiamo
fra le conchiglie di cotone

godere le grazie del giorno
come loto
sui fondi fangosi ove galleggia

dans le sillage de tes pas immatériels
noyer la menace
      route au parcours unique
harpe qui coupe les doigts

avant de fondre dans tes chaînes
m'assurer que le maillon porte césure

sur l'autel de ma secrète chair
la trace   parfaite
de ton sceau embrasé

nella scia dei tuoi passi immateriali
annegare la minaccia
        strada dall'unico percorso
arpa che taglia le dita

prima di sciogliermi fra le tue catene
assicurarmi che la maglia porti cesura

sull'altare della mia segreta carne
la traccia   perfetta
del tuo sigillo arroventato

peindre l'amour
de mon sang trop vermeil
le chanter
sur ma lyre sans cordes
mes larmes trop fluides
ne savent écrire

dans les plis des draps
mouler un creuset
pour le couchant doré
des rideaux

dipingere l'amore
col mio sangue troppo vermiglio
cantarlo
sulla mia lira senza corde
le mie lacrime troppo fluide
non sanno scrivere

nelle pieghe delle lenzuola
modellare un crogiolo
per il tramonto dorato
delle tende

sur la poussière des rues
floconne le désir
sur tes yeux clos
ta passion fleurit

ton bras couvre mon plaisir repu
mon genou entre tes cuisses
ma tête entre tes mains
en rester là

sulla polvere delle strade
fiocca il desiderio
sui tuoi occhi chiusi
la tua passione fiorisce

il tuo braccio copre il mio piacere
il mio ginocchio tra le tue cosce
la testa fra le tue mani
rimaner così

la magie rare opère
tout s'accorde
au nous sans fard
la fête se recueille
au fond des prunelles

un arbre dans son écorce
une étoile au plus noir du ciel
la mer sous les sables
ton cœur glaçon au soleil

la magia rara opera
tutto s'accorda
al noi senza trucco
la festa si raccoglie
in fondo alle tue pupille

un albero nella sua corteccia
una stella nel più nero del cielo
il mare sotto le sabbie
il tuo cuore ghiaccio al sole

un instant d'ombre
éclipse
une éternité de lumière
tout chavire
se confond
avec rien

ma mère Gaïa
vous souvient-il
avant ou après Himalaya
ce déchirement de votre sein
pour la première de mes naissances

un istante d'ombra
eclissa
un'eternità di luce
tutto si rovescia
si confonde
col niente

mia madre Gaia
ricordi
prima o dopo Himalaia
quello strappo del tuo seno
per la prima delle mie nascite

je secoue ton nom
les consonnes tombent
il ne reste rien

pour mon anniversaire
souhaits fleuris
douceurs parfumées

toi
prostré dans ce silence
où tout m'échappe

scrollo il tuo nome
le consonanti cadono
non resta nulla

per il mio anniversario
auguri fioriti
dolcezze profumate

tu
prostrato in quel silenzio
dove tutto mi sfugge

toute paix t'habite
ne perds pas ta peine
au jardin des essences

déjà brûlent dans ta chambre
les parfums du cœur

croix dans ma gorge
ton visage marcassite
me précède

ogni pace ti abita
non perdere pena
nel giardino delle essenze

già bruciano nella tua camera
i profumi del cuore

croce nella mia gola
il tuo viso marcasite
mi precede

à chaque rendez-vous
j'ai semé dans l'infini
mes étoiles mes papillons
regarde mes mains
vides

ville brumeuse
les réverbères se font prier
le cri d'un oiseau
rappelle que le ciel existe

ad ogni appuntamento
ho seminato nell'infinito
stelle e farfalle
guarda le mie mani
vuote

città nebbiosa
i lampioni si fanno pregare
il grido d'un uccello
ricorda che il cielo esiste

comme lierre à ta fenêtre
incognito
je pousserai des racines
de joie

pianiste aux doigts coupés
je jouerai pour toi
des mots diaphanes
poème majeur
en ré de feu

come edera alla tua finestra
incognito
affonderò radici
di gioia

pianista dalle dita tagliate
suonerò per te
parole diafane
poesia maggiore
in re di fuoco

dans l'écrin des mutations
au jardin des migrations
à l'heure du retour
        au souffle ancestral
rien ne se perd rien ne se crée

comme si Amour ne suffisait point
mon ton son
encore faut-il
notre votre leur
aimer

nello scrigno dei mutamenti
nel giardino delle migrazioni
all'ora del ritorno
        al soffio ancestrale
niente si perde niente si crea

come se Amore non bastasse
mio tuo suo
ancora si deve
nostro vostro loro
amare

déployer ma corolle
à l'aube de ton approche
me noyer dans ton déferlement
plus jamais
    — Dieu le veuille
le souvenir se nourrit de lui-même

sur la tête des hommes
un ciel placide
secoue
éclats de rêves

spiegare la mia corolla
all'alba del tuo avvicinarti
annegarmi nel tuo torrente
mai più
        — Dio lo voglia
il ricordo si nutre di se stesso

sulla testa degli uomini
un cielo placido
scuote
schegge di sogni

de la mamelle de l'éternité
le temps
de voyelles vêtu
un jet de vie
descelle nos lèvres

jamais vu ton réveil
toujours les premiers
tes cils dispersent
ce qui reste d'ombre

dalla mammella dell'eternità
il tempo
di vocali vestito
un getto di vita
svelle le nostre labbra

mai visto il tuo risveglio
sempre per prime
le tue ciglia disperdono
ciò che resta d'ombra

sperme de rêves déchus
délire atrophié
en fuite

ronger l'écorce de ton
sexe
un menhir vocifère
en fulgurance éblouie
se noie au sein des chairs
ouvertes à l'instant

sperma di sogni decaduti
delirio atrofizzato
in fuga

rodere la corteccia del tuo
sesso
un menhir vocifera
in folgoranza abbagliata
s'annega in seno alle carni
aperte all'istante

sans cesse l'amour menace
d'enrouler son élastique serpent
autour de nos souvenirs

barque coruscante
tu circules en moi fleuve
agitant mes ondes
mes doigts tracent vagues
sur ta peau glabre

sempre l'amore minaccia
di avvolgere il suo elastico serpente
intorno ai nostri ricordi

barca corrusca
circoli in me fiume
agitando le onde
le mie dita tracciano flutti
sulla tua pelle glabra

inviter la nuit
à l'amplitude du désir
les volets claquent
aux fenêtres de l'âme

hymne impitoyable des yeux
où grelottent
ultimes secousses de l'espoir
dans un ciel qui s'éteint
en cadence

invitare la notte
all'amplitudine del desiderio
le persiane schioccano
alle finestre dell'anima

inno spietato degli occhi
dove tremano
ultime scosse della speranza
in un cielo che si spegne
in cadenza

l'amour pieuvre
en dérogation
composition cinématographique
en équilibre

délit de mémoire
sans équivoque
au pays inconnu

l'amore polpo
in deroga
composizione cinematografica
in equilibrio

delitto di memoria
senza equivoco
nel paese sconosciuto

Achevé d'imprimer
sur les Presses AGMV Marquis
Cap-Saint-Ignace (Québec)
en février 2002